Bilder zur Jobs.

Wilhelm Busch

copyright © 2022 Culturea éditions
Herausgeber: Culturea (34, Hérault)
Druck: BOD - In de Tarpen 42, Norderstedt (Deutschland)
Website: http://culturea.fr
Kontakt: infos@culturea.fr
ISBN:9782385085902
Veröffentlichungsdatum: November 2022
Layout und Design: https://reedsy.com/
Dieses Buch wurde mit der Schriftart Bauer Bodoni gesetzt.
ER WIRT MIR GEBEN

Bilder

zur

Jobsiade

von

Wilhelm Busch

Verlag von Fr. Bassermann

An Karl Arnold Kortum

Verfasser der Jobsiade

Hier sitz ich auf dem Meilenstein

Und sehe froh-verwundert,

Wie Du auf Deinem Rößlein fein

Hertrabst durch das Jahrhundert.

Jetzt bist Du da. Ich zieh den Hut,

Du ziehst den vollen Säckel

Und wirfst die Batzen wohlgemut

In meinen alten Deckel.

Das Rößlein schüttelt mit dem Kopf,

Es sitzt so stramm der Reiter;

Wie lustig wackelt ihm der Zopf!

Zack zack! So geht es weiter.

Erstes Kapitel

Sintemalen denn alles beisammen allhier:

Feder, Tinte, Tobak und Papier;

So wollen wir dem Hieronymus Jobsen

Nachdem wir uns eine Pfeife gestopsen

Sein Leben, Lernen, Leiden und Lieben

Und was er sonsten allhier getrieben,

Mit allem Fleiße aufnotieren

Und standesgemäß zu skizzieren probieren.

Dies hier ist Jobs, der Herr Senater,

Des Hieronymus zukünftiger Vater.

Die Frau Senaterin aber war

Eine geborene Plappelplar;

Mit welcher indessen der treue Gatte

Bis dato nur weibliche Kinder hatte.

Darum so war ihr Streben und Sinnen,

Demnächst einen Knaben sich zu gewinnen.

Einst, als die Frau Senaterin Jobs

Im Bette schlief, recht sanft gottlobs!

Da war ihr so, als wenn ihr so wär,

Als hätte sie mit vieler Beschwer

Ein großes allmächtiges Tutehorn

Statt eines kleinen Kindes geborn.

Drei Wochen nach diesem Traumgesicht

Begab sich ein kleiner Jobs ans Licht.

Wie freut sich der betreffende Vater,

Nämlich Jobs, der alte Senater.

Es eilten herbei mit freudigem Schnattern

Alle die Tanten, Basen, Gevattern.

Sie sagten, daß es auf ihre Ehre

Ein ganzer reizender Knabe wäre.

Drauf, als Frau Jobs in ihrer Art

Den neulich gehabten Traum offenbart,

Hub alles die Hände in die Höh:

»Grundgütigerohjemineh!

Was wäre denn das? Was wäre denn das?

So was bedeutet sicher was!«

Frau Schnepperle sprach mit weisem Ton:

»Ja ja! Da bringt mich keiner von!

Frau Schnatrin, glauben Sie es nur:

Ein Traum, der kommt aus der Natur!«

Zweites Kapitel

Nach allgemeinem Familienbeschluß

Nennt man den Knaben Hieronymus.

Meistens war er ganz gut zufrieden,

Besonders, wenn ihm ein Schnuller beschieden.

Aber dann kamen die bösen Insekten,

Welche ihn immer so leckten und neckten,

Daß er sich nicht zu helfen wußte

Und seinen Schnuller entlassen mußte.

Weithin erscholl sein Wehgeschrei

Und lockte die guten Eltern herbei.

Die gaben dann manchen zärtlichen Kuß

Ihrem lieben kleinen Hieronymus.

Als nun Hieronymus sieben Jahr

Und auch bereits in der Schule war,

Da hat es sich leider Gottes gezeigt,

Daß er dem Lernen sehr abgeneigt.

Statt dessen fing er häufig mit Spucke

Zwischen den Fingern sich eine Mucke,

Und tat's auch dann noch, wenn es hieß:

»Hieronymus, unterlasse dies!«

Auch trieb er noch manch andere Possen,

Die den Herrn Rektor sehr verdrossen.

Zum Beispiel stutzt er sich seinen Zopf

Und stopft das in den Pfeifenkopf.

Der gute Rektor kommt gegangen,

Greift nach der Pfeife voll Verlangen,

Und, da er sie noch geladen findet,

Hat er sie baldigst angezündet.

Aber schon nach den ersten Zügen

Macht ihm die Sache kein rechtes Vergnügen.

»Bäbä!« so spuckt er. »Ich glaube gar,

Dies schmeckt wie gebratenes Menschenhaar!

Ei ei! Hieronymus, du Tropf!

Da fehlt ja was hinten an deinem Zopf!«

Der Rektor, welcher in heftigem Zorn,

Schlägt nach hinten und zieht nach vorn.

Des Rektors Pfeife ist ruiniert;

Hieronymus ist mit Tinte beschmiert.

Hieraus zieht der Rektor den Schluß:

's wird nichts aus diesem Hieronymus.

Drittes Kapitel

Öfters noch sprach der Rektor Bax:

»Der Junge, der bleibt ein fauler Lachs!«

Aber die Eltern bleiben dabei,

Daß Hieronymus dieses nicht sei.

Frau Jobs, die noch ihren Traum im Sinn,

Befraget die alte Zigeunerin.

Die sprach: »Aus diesem Horn zum Tuten

Kann man mit Sicherheit vermuten,

Dereinst wird der Herr Sohn auf Erden

Ein Mann von großem Ruhme werden.

Er wird ermahnen, er wird belehren;

Einer wird reden und viele hören.

Die Schläfer wird er auferwecken.

Den Kranken ein Tröster, den Bösen ein Schrecken.«

Demnach so ist es denn fest beschlossen,

Obschon es den Rektor heftig verdrossen,

Hieronymus soll das Studieren erlernen,

Sich Ostern zur Universität entfernen

Und dorten verbleiben zu Nutz und Ehr,

Bis daß er ein geistlicher Herre wär.

Den Beutel mit schönen Dukaten gespickt,

Ist er richtig zu Ostern ausgerückt

Und, von dem alten Hausknecht beglitten,

Recht heiter zur nächsten Post geritten.

In der Stube der Passagiere

Befand sich ein Herr von feiner Turnüre,

Bekleidet mit einer großen Perücke;

Der tat ihn begrüßen mit freundlichem Blicke

Und sagte so unter anderen Sachen,

Sie wollten ein kleines Spielchen machen.

Anfangs ging die Sache recht gut,

Hieronymus war froh und faßte Mut.

Als aber das Posthorn lustig erklang,

Ward es ihm in der Seele bang.

Mit Schmerzen läßt er sein Geld zurücke

Dem fremden Herrn mit der großen Perücke.

So sitzt er nun im Wageneck,

Gedenkt an seine Dukaten, die weck,

Und ist voll tiefer Melancholie.

Ein hübsches Mamsellchen sitzt vis-à-vis.

Diese gute Demoiselle

Tröstet den armen Jüngling schnelle.

Dem Mitleid folgt in kurzer Zeit

Die Liebe und dieser die Zärtlichkeit.

Und auch der Schwager seinerseits

Findet die Sache nicht ohne Reiz.

Ach, aber kaum lernt man sich kennen,

So muß man sich schon wieder trennen.

Der Schwager bläst traratrara!

Und fort muß die Amalia.

Wie nun Hieronymus weiterfuhr,

Denkt er sich so: Was ist wohl die Uhr?

Er sucht sie vorne, er sucht sie hinten,

Aber er kann die Uhr nicht finden.

Auweh! Jetzt fällt's ihm plötzlich ein:

Man soll mit Vorsicht zärtlich sein.

Viertes Kapitel

Die erste Pflicht der Musensöhne

Ist, daß man sich ans Bier gewöhne.

Hieronymus ward dieses nicht schwer;

Er konnte es schon von der Schule her.

Im goldnen Engel auf der Bank

Saß er fleißig und sang und trank.

Und wenn es dann Feierabend hieß

Und jeder den goldenen Engel verließ,

War's ihm nicht recht. Denn saß er mal,

So verließ er nur ungern das schöne Lokal.

Die Rinnen des Daches, nützlich und gut,

Biegt er nach außen, bis alles kaputt.

Dahingegen leeret die Dame vom Haus

Die Schale des Zornes über ihn aus.

Gibt's irgendwo 'ne Paukerei,

Natürlich, Hieronymus ist dabei

Und kriegt dann auch eine schöne Quarte

In seine dicke, fette Schwarte.

Oft wandelt er mit Schmitts Karlinen,

Selbst wenn der Mond auch nicht geschienen,

In traulich stillem Wechselverkehr

Auf dem Walle der Stadt umher.

Dieses war stets ein großer Genuß

Für den guten Hieronymus.

Übrigens hat er unterdessen

Seine guten Alten auch nicht vergessen.

»Liebe Eltern!« so schrieb er oft »Ich melde

Hiebei, daß es mir fehlet an Gelde,

Habet also die Gewogenheit

Und schicket mir bald eine Kleinigkeit.

Nämlich etwa zwanzig Dukaten,

Denn ich weiß mich kaum mehr zu raten,

Weil es alles so knapp geht hier,

Drum sendet doch dieses Geld bald mir.

Kaum begreift Ihr die starke Ausgabe,

Welche ich auf der Universität habe,

Für so viele Bücher und Collegia;

Ach, wären die zwanzig Dukaten da!

Hiemit will ich also mein Schreiben beschließen.

Meine Geschwister tu ich freundlich grüßen,

Und verharre hierauf zum Schluß

Euer gehorsamer Sohn

Hieronymus.

Ich setze noch eilig zum Postscripte:

Meine hochgeehrte und sehr geliebte

Eltern, ich bitte kindlich,

Schicket doch bald das Geld an mich.«

Was hierauf des Vaters Antwort gewesen,

Das kann man folgendermaßen lesen:

»Mein herzvielgeliebtester Sohn!

Dein Schreiben hab ich erhalten schon.

Es sind noch nicht drei Monat vergangen,

Daß Du hundertundfünfzig Taler empfangen;

Fast weiß ich nicht, wo in der Welt

Ich hernehmen solle alle das Geld.

Ich höre gerne, daß Du studierest

Und dich fleißig und ordentlich aufführest;

Aber höchst ungern vernehme ich von Dir,

Daß Du zwanzig Dukaten forderst von mir.

Ich werde es also sehr gern sehen,

Wenn Du von der Universität tust gehen,

Denn es fällt mir wahrlich gar schwer,

Alle die Gelder zu nehmen woher.

Ich verharre übrigens

Dein treuer Vater,

Hans Jobs, pro tempore Senater.

N. S. Dein Schreiben mir zwar gefällt,

Aber verschone mich weiter mit Geld.«

Um demnach seiner Eltern Verlangen und Willen,

Die seine Heimkunft begehrten, zu erfüllen,

Tut Hieronymus zu dieser Frist,

Was zum Abmarsche nötig ist.

Fünftes Kapitel

Grad als die Mutter, Frau Senaterin Jobsen,

Ein wenig zankte, weil sie's verdrobsen,

Daß schon wieder in selbiger Wochen

Ein Kaffeetopf entzweigebrochen

Grad als der Vater im Lehnstuhl saß

Und nach Tisch in der Zeitung las

Vernahm man draußen ein heftiges Knallen.

Der Vater lässet die Zeitung fallen;

Und jeder eilt mit Schrecken herbei,

Zu sehn, was das für ein Lümmel sei.

Zwar erst erkannte man ihn nicht

Vor seinem dicken Bauch und Gesicht;

Dann aber war die Freude groß.

Nur tadelnswert fand man es bloß,

Daß Kleidung sowohl wie der Stoppelbart

Nicht passend für seine geistliche Art.

Hieronymus überlegte es auch

Und tät sich bekleiden nach Standesgebrauch.

Er hatte mit klugem Vorbedacht

Bereits eine Predigt mitgebracht,

Welche ein Freund in der Musenstadt

Fleißig für ihn verfertigt hat.

Schon am nächsten Sonntag betrat

Hieronymus die Kanzel als Kandidat.

Er sagt es klar und angenehm,

Was erstens, zweitens und drittens käm.

»Erstens, Geliebte, ist es nicht so?

Oh, die Tugend ist nirgendwo!

Zweitens, das Laster dahingegen

Übt man mit Freuden allerwegen.

Wie kommt das nur? So höre ich fragen.

Oh, Geliebte, ich will es Euch sagen.

Das machet, drittens, die böse Zeit.

Man höret nicht auf die Geistlichkeit.

Wehehe denen, die dazu raten;

Sie müssen all in der Hölle braten!!

Zermalmet sie! Zermalmet sie!

Nicht eher wird es anders allhie!

Aber Geduld, geliebte Freunde!

Sanftmütigkeit ziert die Gemeinde!«

Als Hieronymus geredet also,

Stieg er herab und war sehr froh.

Die Bürger haben nur grad geschaut

Und wurde ein großes Gemurmel laut:

»Diesem Jobs sein Hieronymus,

Der erregt ja Verwundernus!«

Sechstes Kapitel

Es blieb aber nunmehro noch etwas zurücke

Als Erfordernis zum geistlichen Glücke

Nämlich das Examen welches zwar

Dem Hieronymus fast zuwider war;

Indes ist doch schließlich das Zögern vergebens.

Die fürchterlichste Stunde seines Lebens

Naht anitzo ernstlich herzu.

Ach, du armer Hieronymus, du!

Der Herr Inspector machte den Anfang;

Hustete viermal mit starkem Klang,

Schneuzte und räusperte auch viermal sich

Und sagte, indem er den Bauch sich strich:

»Ich, als zeitlicher pro tempore Inspector

Und der hiesigen Geistlichkeit Director,

Frage Sie: Quid sit episcopus?«

Alsbald antwortete Hieronymus:

»Ein Bischof ist, wie ich denke,

Ein sehr angenehmes Getränke

Aus rotem Wein, Zucker und Pomeranzensaft

Und wärmet und stärket mit großer Kraft.«

Über diese Antwort des Kandidaten Jobses

Geschah allgemeines Schütteln des Kopfes.

Der Inspector sprach zuerst hem! hem!

Drauf die andern secundum ordinem.

Nun hub der Assessor an zu fragen:

»Herr Hieronymus, tun Sie mir sagen,

Wer die Apostel gewesen sind?«

Hieronymus antwortete geschwind:

»Apostel nennet man große Krüge,

Darin gehet Wein und Bier zur Genüge;

Auf den Dörfern und sonst beim Schmaus

Trinken die durstigen Burschen daraus.«

Über diese Antwort des Kandidaten Jobses

Geschah allgemeines Schütteln des Kopfes.

Der Inspector sprach zuerst hem! hem!

Drauf die andern secundum ordinem.

Nun traf die Reihe den Herrn Krager,

Und er sprach: »Herr Kandidat, sag er,

Wer war der heilige Augustin?«

Hieronymus antwortete kühn:

»Ich habe nie gehört oder gelesen,

Daß ein anderer Augustin gewesen

Als der Universitätspedell Augustin,

Er zitierte mich oft zum Prorektor hin.«

Über diese Antwort des Kandidaten Jobses

Geschah allgemeines Schütteln des Kopfes;

Der Inspector sprach zuerst hem! hem!

Drauf die andern secundum ordinem.

Nun folgte Herr Krisch ohn' Verweilen

Und fragte: »Aus wieviel Teilen

Muß eine gute Predigt bestehn,

Wenn sie nach Regeln soll geschehn?«

Hieronymus, nachdem er sich eine Weile

Bedacht, sprach: »Die Predigt hat zwei Teile.

Den einen Teil niemand verstehen kann,

Den andern Teil aber verstehet man.«

Über diese Antwort des Kandidaten Jobses

Geschah allgemeines Schütteln des Kopfes;

Der Inspector sprach zuerst hem! hem!

Drauf die andern secundum ordinem.

Nun fragte Herr Beff, der Linguiste,

Ob Herr Hieronymus auch wohl wüßte,

Was das hebräische Kübbuz sei?

Und Hieronymus antwortete frei:

»Das Buch, genannt Sophiens Reisen

Von Memel nach Sachsen, tut es weisen,

Daß sie den mürrischen Kübbuz bekam,

Weil sie den reichen Puff früher nicht nahm.«

Über diese Antwort des Kandidaten Jobses

Geschah allgemeines Schütteln des Kopfes;

Der Inspector sprach zuerst hem! hem!

Drauf die andern secundum ordinem.

Nun kam auch an den Herrn Schreie,

Den Hieronymus zu fragen, die Reihe.

Er fragte also: Wie mancherlei

Die Gattung der Engel eigentlich sei?

Hieronymus tat die Antwort geben:

Er kenne zwar nicht alle Engel eben,

Doch wär ihm ein goldner Engel bekannt

Auf dem Schild an der Schenke »Zum Engel« genannt.

Über diese Antwort des Kandidaten Jobses

Geschah allgemeines Schütteln des Kopfes;

Der Inspector sprach zuerst hem! hem!

Drauf die andern secundum ordinem.

Herr Plotz hat nun fortgefahren

Zu fragen: »Herr Kandidate, wie viele waren

Concilia oecumenica?«

Und Hieronymus antwortete da:

»Als ich auf der Universität studieret,

Ward ich oft vors Concilium zitieret,

Doch betraf solches Concilium nie

Sachen aus der Ökonomie.«

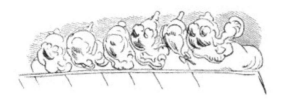

Über diese Antwort des Kandidaten Jobses

Geschah allgemeines Schütteln des Kopfes;

Der Inspector sprach zuerst hem! hem!

Drauf die andern secundum ordinem.

Nun folgte Herr Keffer, der geistliche Herre;

Seine Frage schien zu beantworten schier schwere.

Sie betraf der Manichäer Ketzerei,

Und was ihr Glaube gewesen sei?

Antwort: »Ja, diese einfältigen Teufel

Glaubten, ich würde sie ohne Zweifel

Vor meiner Abreise bezahlen noch;

Ich habe sie aber geprellet doch.«

Über diese Antwort des Kandidaten Jobses

Geschah allgemeines Schütteln des Kopfes;

Der Inspector sprach zuerst hem! hem!

Drauf die andern secundum ordinem.

Als nun die Prüfung zu Ende gekommen,

Hat Hieronymus seinen Abtritt genommen;

Damit man die Sache nach Kirchenrecht

In reife Überlegung nehmen möcht;

Ob es mit gutem Gewissen zu raten,

Daß man in die Klasse der Kandidaten

Des heiligen Ministerii den

Hieronymum aufnehmen konn'.

Es ging also an ein Votieren.

Doch ohne vieles Disputieren

Lautet der Spruch des geistlichen Gerichts:

Mit Herrn Hieronymus ist es nichts.

Siebentes Kapitel

Die Hoffnung, dereinst ein Pfarrer zu werden,

Ist also vergeblich auf dieser Erden.

Hieronymus findet es nötig nun,

Anderswohin sich umzutun.

Es macht sich auch. Von da nicht fern

Auf dem Gut eines alten gnädigen Herrn

Suchte man längst schon hin und her

Einen passenden Sekretär.

Und, richtig, unser Hieronymus

Wird wirklich Herr Sekretarius.

Eine Kammerjungfer ist auch noch da.

Schau schau! Es ist die Amalia!

Das mit der Uhr war freilich abscheulich,

Aber Hieronymus fand es verzeihlich,

Denn Amalia war sehr betrübt,

Machte sich, wo sie konnte, beliebt

Und half ihm mit allen ihren Kräften

Bei seinen schwierigen Amtsgeschäften.

Aber die Sache wird bald sehr peinlich,

Denn der Alte benimmt sich kleinlich;

Und Hieronymus, ohne Lohn,

Verläßt die bisherige Kondition.

Einem frommen Fräulein, bedeutend bemittelt,

Die längst ihre Jugend abgeschüttelt,

Fehlt eben ein kräftiger Assistente,

Der mit ihr beten und singen könnte.

Von allen, die da kamen, schien ihr am meisten

Hieronymus geeignet dieses zu leisten.

Drum hieß sie ihn zu Nutz und Frommen

Als Mitgehilfen hochwillkommen.

Als er nun aber singen sullt,

Da fehlt ihm die christliche Geduld.

So mußte die Alte wieder allein

Bei ihrer Andacht tätig sein.

Hieronymus, in einer Spelunke,

Findet zwo Lumpen bei ihrem Trunke;

Und ist ihm auch der eine von ihnen

Gewissermaßen bekannt erschienen.

Hieronymus legt sich bald aufs Ohr.

Die Lumpen ziehen die Börse hervor,

Und als der Morgen kommt, o Schreck!

Ist die Börse mitsamt den Lumpen weck.

Der Wirt, der großes Mitleid hat,

Nimmt sich den Rock an Zahlungsstatt.

So irret Hieronymus sorgenschwer

Kreuz und quer in einem Walde umher.

Auf einmal, so höret er Jammern und Klagen

Und Degengeklirr und Knittelschlagen,

Und siehe da, eine Equipage

Ist überfallen von Räuberbagage.

Der Kutscher ist auf der Erde gelegen,

Der Herr, der wehrt sich mit seinem Degen,

Die gnädige Frau steht auch dabei

Und machet ein großes Wehgeschrei.

Hieronymus aber eilet sofort

An diesen Jammer- und Schreckensort

Und entscheidet die Sache vermittels

Seines kräftig geschwungenen Knittels.

Die Räuber kommen in große Not;

Der eine muß laufen, der andre bleibt tot.

Und schau, der hier zu Tode gekommen,

Hat ihm zu Nacht den Beutel genommen.

Auch fällt dem alten Bösewicht

Sein schwarzes Pflaster vom Gesicht;

Und schau, da ist's der Perückenmann,

Der einst auf der Post die Dukaten gewann.

Hieronymus tut ihn nicht beklagen,

Nimmt die Börse und folgt dem Herrschaftswagen.

Die Herrschaft aber preist die Götter

Und ihren mutigen Lebensretter.

Achtes Kapitel

Es war aber grade da zu Land

Die Dorfschulmeisterstelle vakant,

Und hat darüber die Disposition

Der gnädige Herr als Schutzpatron.

Aus Dankbarkeit auf höchsten Beschluß

Kriegt diese Stelle Hieronymus.

So hat er nun die Schulmeisterei

Und sieht, was hierbei zu machen sei.

Zuvörderst findet er in der Fibel

Manche veraltete Mängel und Übel;

Wie er dann gleich mit Schrecken sah,

Daß das ff und ph nicht da.

Auch scheint ihm gar nicht wohlgetan

Der abgemalete Gockelhahn.

Er streichet ihm hinweg zuvoren

Die überflüssigen Reitersporen.

Er füget ihm aber dagegen bei

Ein Nest mit eingelegtem Ei;

Damit man sehe, daß eigentlich dies

Der Segen und Nutzen des Federviehs.

Nachdem er also die Lehre verbessert,

Bedenkt er, wie man die Strafe vergrößert.

Nämlich im Schulvermögen war

Ein Eselskopf als Inventar.

Hieronymus, zu größerer Schand und Graus,

Macht einen ganzen Esel daraus.

Die Bauern aber murren sehr

Über die neu erfundene Lehr.

Sie taten sich hoch und heilig vereiden,

Sie wollten und wollten dieses nicht leiden

Und wollten den neuen Meister der Schule

Herunterstoßen von seinem Stuhle.

Eines Morgens in aller Früh

Wohl ausgerüstet marschieren sie.

Hieronymus schlummert noch sanft und gut,

Da tönet die Stimme: »Kum man mal rut!«

Alsbald so fühlt er sich fortgeschoben,

Schwupp da! Er wird seines Amtes enthoben.

Die Bauern, geschmückt mit vielen Trophä'n,

Machen ein großes Siegesgetön.

Sie füllen die Gläser und stoßen an:

»Prost, vivat! Düt hett gude gan!«

Als aber vorüber das erste Feuer,

Ist manchem doch nicht so recht geheuer.

Ja, wenn der gnädige Herr nicht wär!

Der gnädige Herr, was sagt aber der??

»Mal fünfundzwanzig! Nach altem Brauch!«

Richtig geraten! So kommt es auch.

Neuntes Kapitel

Hieronymus, nach diesem Mißgeschicke,

Will nicht wieder ins Amt zurücke.

Er hat seinen Wanderstab genommen

Und sucht sich sonstwo ein Unterkommen.

Wie's nun so geht! Einstmalen hat er

Sich hinbegeben ins Theater,

Und ist da eben auf der Szene

Eine Prinzessin wunderschöne.

Ach Gott! Wie wird ihm zumute da!

's ist seine geliebte Amalia!

Das Stück ist endlich zu Ende gegangen.

Die Liebenden halten sich fest umfangen.

Hieronymus aber war es zur Stund,

Als riefe in seines Leibes Grund

Der innern Stimme ernster Baß:

Hieronymus, werde auch so was!

Es ging nicht lange Zeit herum,

So zeigt er sich schon dem Publikum

Als ein verliebter ländlicher Schäfer.

In andern Rollen ist er noch bräver,

Und überhaupt sehr löb- und preislich.

Aber Amalia benahm sich scheußlich.

Drum entfernt sich mit Weh und Ach

Hieronymus aus dem Künstlerfach.

Und da man grad in der Vaterstadt

Einen Nachtwächter nötig hat,

So erwirbt er sich diesen schönen Posten

Und stößt ins Horn auf städtische Kosten.

Das mütterliche Traumgebild

Vom großen Horn ist nun erfüllt.

Hieronymus blus auch wirklich gut:

Kaum schlägt es zehn, so geht's tu-huth!

Und ruft er dann das: Hört ihr Herrn!

Wacht jeder auf und hört es gern.

Einst, da er in einer heftig kalten

Nacht, sein schwieriges Amt zu verwalten,

Den Mund eröffnet, um zwölfe zu schrein,

Bläst ihm der nördliche Wind hinein.

Zwar um eins geht's noch: tuhuth!

Um zwei aber ist's ihm schon gar nicht gut,

Glock drei bereits legt er sich nieder

Mit Schmerzen des Leibes und der Glieder.

Um acht Uhr kommt die Medizin,

Wonach es auch etwas besser schien.

Doch sah man etwa gegen zehn:

Hieronymus wird von dannen gehn!

Punkt zwölf erscheint der Knochenmann

Und hält das Perpendikel an.

Also geht alles zu Ende allhier:

Feder, Tinte, Tobak und auch wir.

Zum letztenmal wird eingetunkt,

Dann kommt der große

schwarze ●

Lightning Source UK Ltd.
Milton Keynes UK
UKHW031456211222
414213UK00011B/742

9 782385 085902